Prenez-moi aux trains
Livre de coloriage

Coloring Pages for Kids

Coloring Pages for Kids
An imprint of Ciparum LLC

Prenez-moi aux trains Livre de coloriage
© 2017 Ciparum LLC
All rights reserved.
ISBN-10:1-63589-360-7
ISBN-13:978-1-63589-360-1

Coloring Pages for Kids

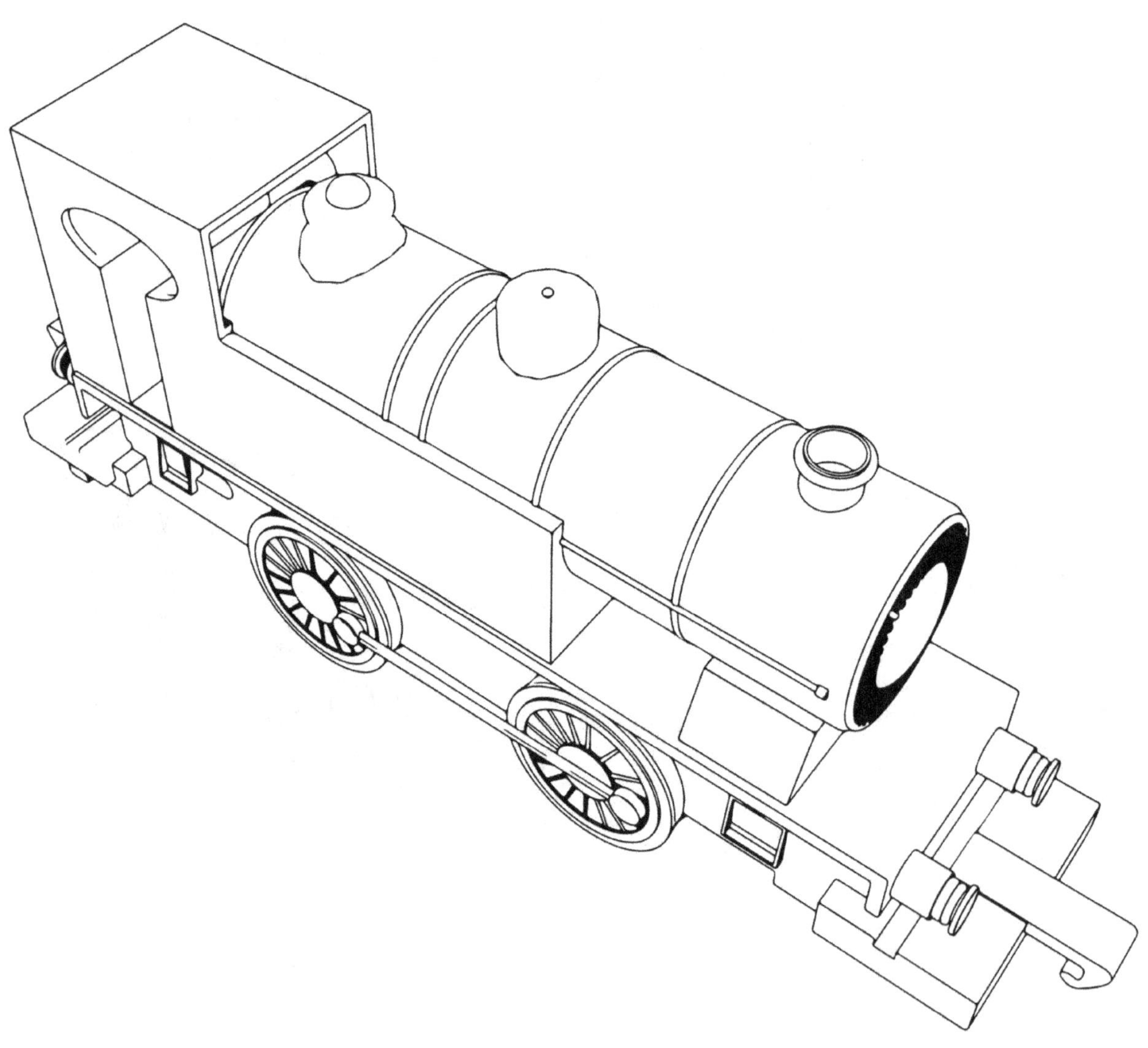

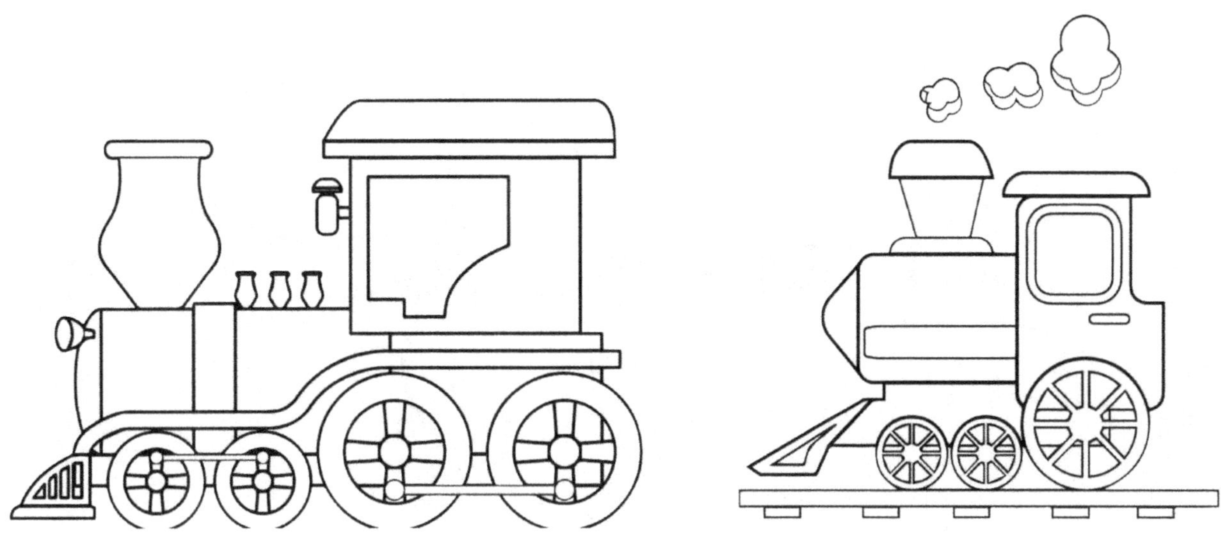

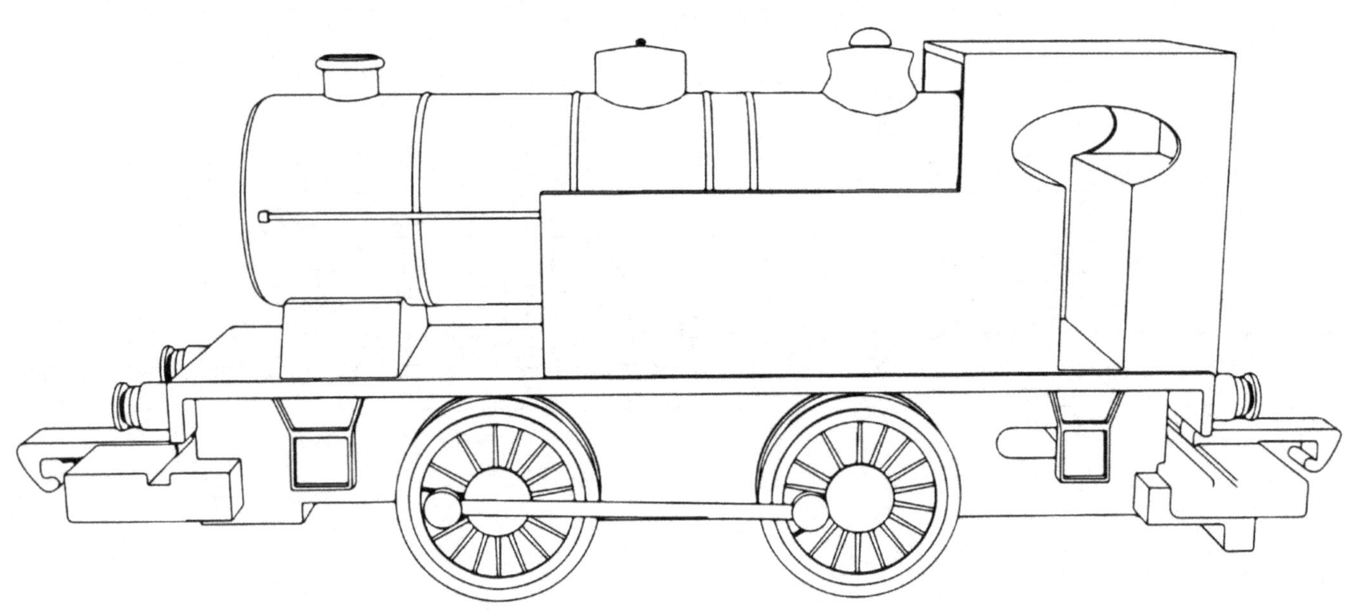

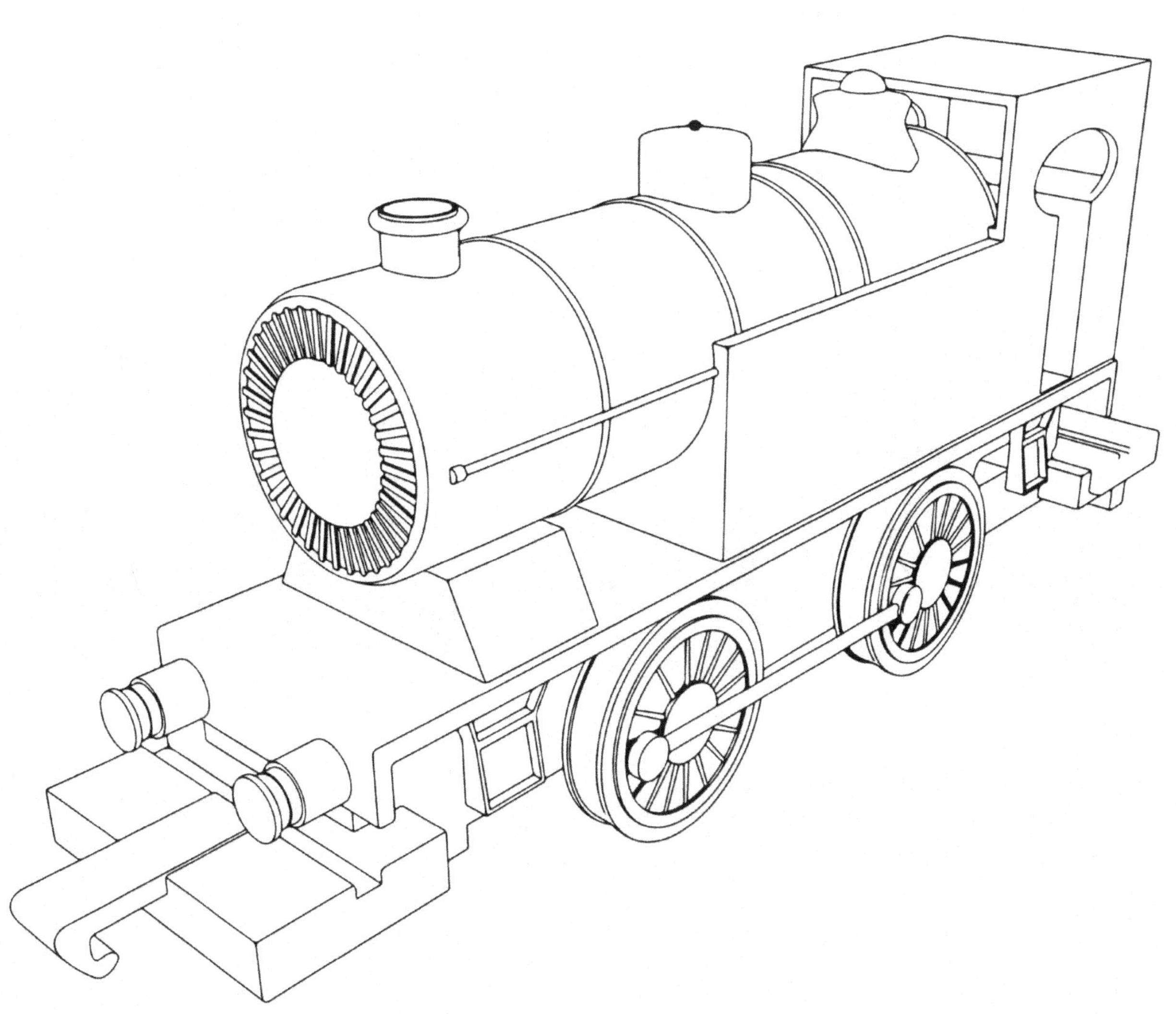

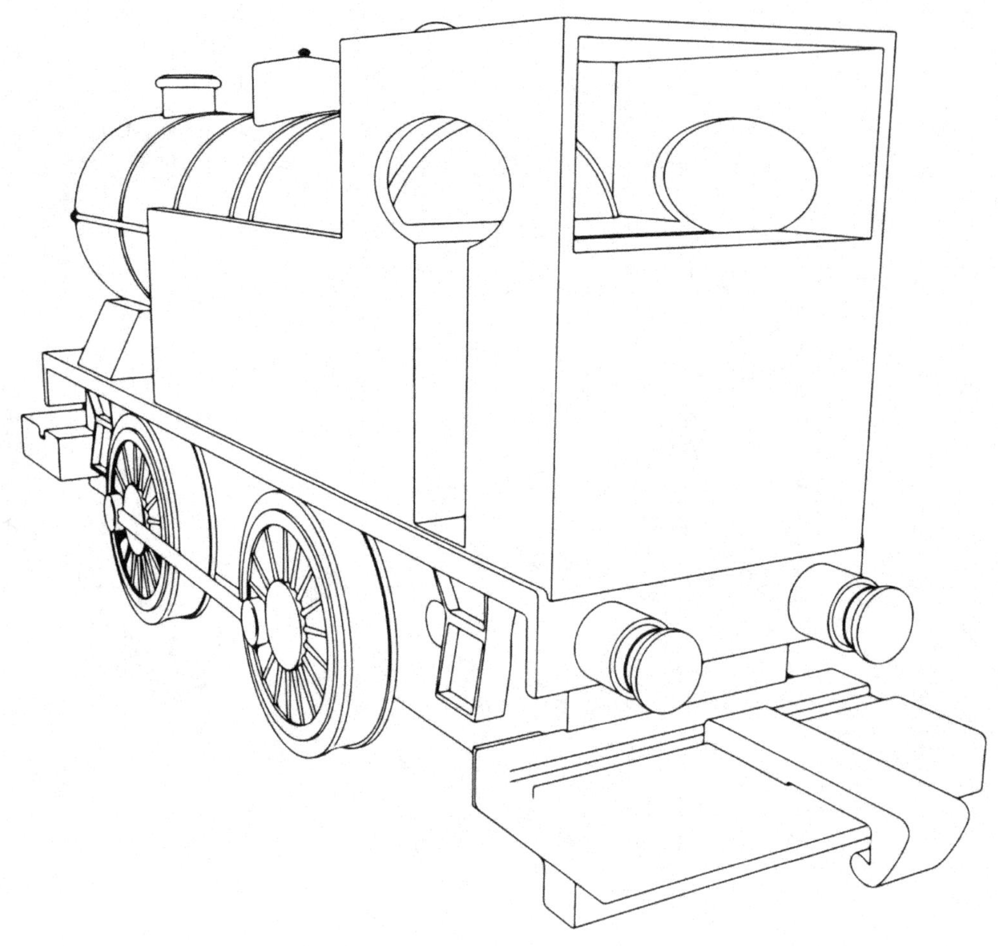